谁给小青蛙一个家？

图书在版编目（CIP）数据

谁给小青蛙一个家？/（奥）威宁格著；（法）塔勒绘；杨玲玲，彭懿译. -- 北京：中信出版社，2016.3（2023.5 重印）
（遇见美好系列. 第1辑）
书名原文：A child is a child
ISBN 978-7-5086-5701-1

Ⅰ. ①谁… Ⅱ. ①威… ②塔… ③杨… ④彭… Ⅲ. ①儿童文学一图画故事一奥地利一现代 Ⅳ. ①I521.85

中国版本图书馆 CIP 数据核字（2015）第 277228 号

谁给小青蛙一个家？

著　　者：[奥] 布丽吉特·威宁格
绘　　者：[法] 伊芙·塔勒
译　　者：杨玲玲　彭　懿
出版发行：中信出版集团股份有限公司
（北京市朝阳区东三环北路27号嘉铭中心　邮编　100020）
承 印 者：山东韵杰文化科技有限公司

开　　本：889mm × 1194mm　1/16　　印　　张：2　　字　　数：14千字
版　　次：2016年3月第1版　　印　　次：2023年5月第32次印刷
京权图字：01-2015-5640
书　　号：ISBN 978-7-5086-5701-1
定　　价：19.80元

出　　品：中信儿童书店
策划编辑：张昭　喻之晓　何嘉珞
责任编辑：喻之晓
营销编辑：王澜
封面设计：[illegible]
内文排版：博远文化

谁给小青蛙一个家？

[奥] 布丽吉特·威宁格 著　[法] 伊芙·塔勒 绘

杨玲玲　彭懿 译

中信出版集团 | 北京

“呱呱……呱呱呱！妈妈，妈妈，爸爸什么时候回家呀？”

“呱呱……我也不知道呀，”青蛙妈妈很担心，“孩子们，我要去找你们的爸爸。我不在家的时候，你们可要乖乖的哦。”

青蛙妈妈亲了亲宝宝们，就跳着出门了。

两只青蛙宝宝等呀等，等呀等，可是，青蛙爸爸和青蛙妈妈却再也没有回来。

“呱呱！呱呱呱！呱呱呱！”

黑鸟太太、鼹鼠先生和刺猬先生听见青蛙宝宝们哭个不停。

“发生什么事啦？”

他们问青蛙宝宝们。

“呱呱！呱呱！”青蛙宝宝们哭着告诉了他们事情的经过。

“唉……这真是太不幸了。”他们心想。

“咱们应该做点儿什么呢？”黑鸟太太问，“青蛙宝宝们总不能住在鸟窝里呀。”

“肯定不行。”鼹鼠先生说，“可是我的小洞太黑了，不适合青蛙宝宝啊。”

“而我总是在搬家，”刺猬先生说，“怎么可能好好地照顾青蛙宝宝呢？”

“呱呱！呱呱呱！呱呱呱！”

老鼠妈妈急急忙忙地跑了过来，还有五只小老鼠跟在她身后，扯着她的尾巴呢。

“哦，孩子们，你们怎么哭了？”老鼠妈妈问。

她连忙摘下两片软软的叶子，轻轻地给青蛙宝宝们擦眼泪。

“这两个小家伙太可怜了，”刺猬先生说，“我们都为他们感到难过，可是都没法收留他们。真希望池塘里有别的青蛙可以照顾他们。”

老鼠妈妈把青蛙宝宝们搂在怀里，温柔地说：“让我来照顾他们吧。”

“嗯，”刺猬先生哼了一声，说，“我知道您是好心，但要不要再好好想想呢？青蛙宝宝可不是老鼠宝宝，也不是鼹鼠宝宝，更不是黑鸟宝宝。青蛙宝宝跟我们完全不同，这可不是那么简单的事情……”

“太可笑了！”老鼠妈妈喊道，“这再简单不过了，他们都是小孩子。孩子们需要的不过是一个温暖的、可以玩耍的地方，还有好吃的东西和爱他们的人。”

“万岁！”老鼠宝宝们欢呼道，“小青蛙要和我们一起生活啦！我们可以一起玩儿啦，妈妈还要给我们做布丁吃呢！”

“布丁！”刺猬先生喊了起来，“但青蛙是吃虫子的呀，就像我一样！”

“这好办呀，”老鼠妈妈说，“那就请您为我们的青蛙宝宝们抓一些可口的小虫子，好吗？布丁就当作甜点吧！他们肯定喜欢换换口味。”

刺猬先生露出怀疑的表情，不过他还是出发去抓小虫子了。

“鼹鼠先生，请您为我们的青蛙宝宝们挖个卧室吧，相信没人能比您挖得更好、更快啦。”

鼹鼠先生骄傲地点点头，说：“没问题！马上开工！”

“那么，黑鸟太太，麻烦您去找一个浴缸吧，我们的青蛙宝宝们正需要一张水床呢。”

大家马上开始干起活来。

鼹鼠先生给可爱的青蛙宝宝们挖了一间宽敞的卧室，刺猬先生为他们准备了好吃的小虫子，黑鸟太太帮他们找来了一个漂亮的浴缸，青蛙宝宝们可以舒舒服服地睡在里面啦。

“老鼠妈妈，”这几个好朋友说，“现在您需要照料七个孩子，不过别担心，我们都会帮您的！”

“呱呱，吱吱！呱呱，吱吱！”

还有好多好多事儿等着老鼠妈妈和她的朋友们呢。

青蛙宝宝们很快就学会了吱吱叫和奔跑。

老鼠宝宝们也学会了呱呱叫和游泳。

“还记得我说过什么吗？”老鼠妈妈欣慰地说，“虽然他们看起来很不一样，但是……

孩子就是孩子。

就是这么简单！”

［奥］布丽吉特·威宁格

1960 年生于奥地利的库夫施泰因市，曾在幼儿园从教 20 年，非常熟悉儿童心理。1999 年成为自由作家，专门从事儿童文学写作。代表作有“小兔波力”系列等。作品曾获得奥本海姆白金图书奖和“奥地利最美童书”称号。威宁格的作品被译为 30 多种文字，深受各国儿童喜爱。现居故乡，愿望是活到 107 岁，天天快乐，尝试更多好玩的东西！

［法］伊芙·塔勒

1956 年生于法国的米卢斯市，童年在德国度过。1981 年，她开始从事书籍插图创作，曾在出版社工作 18 年，为上百本书绘制过插图。现与两个儿子和同为插画家的丈夫居住在法国布列塔尼地区，养有三只狗、两只猫、两匹马和两头驴。她最爱的是弹钢琴、散步和坐马车出去玩！

扫一扫
收听本书故事